THERESA MARRAMA

Der Unfall

Translated by: Yvonne Hitzl-Samhaber

ISBN: 978-1-7364064-0-3

« *Es ist nicht die Entfernung,
die Menschen trennt. Es ist
das Schweigen.* »

INHALTSVERZEICHNIS

ACKNOWLEDGMENTS

A big **Danke** to the Yvonne Hitzl-Samhaber for an amazing translation and adaptation of this story into German!

Kapitel 1

Wo bin ich?

Freitag, 12. Juni, 21:00 Uhr
Emma

Langsam öffne ich meine Augen. Wo bin ich? **Ich verstehe das nicht**[1]. Ich kann nicht gut sehen. Alles ist **verschwommen**[2], sehr verschwommen. Ich sehe ein Licht, ein helles Licht. Ich höre eine Stimme, die sagt:

---

[1] **Ich verstehe das nicht.** - I don't understand it.
[2] **verschwommen** - blurry

"Sie öffnet ihre Augen! Ihre Augen
öffnen sich. Sie wacht auf!"

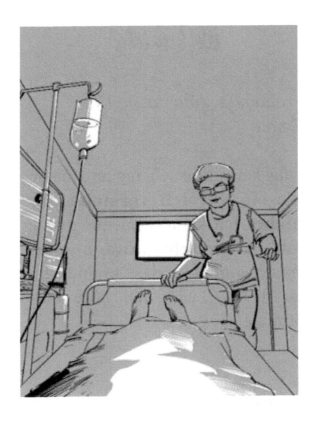

Es ist ruhig. Ich verstehe das nicht. Ich sehe mich im Raum um. Ich versuche zu verstehen. Ich versuche, mich zu bewegen, aber ich kann nicht. Plötzlich sagt eine andere Stimme:

"Ruf den Arzt! JETZT!"

Jetzt verstehe ich. Ein Krankenhaus. Ich bin in einem Krankenhaus. Müde. Nein, ich bin nicht müde, ich bin **erschöpft**[3]. Ich bin sehr erschöpft. Aber... Warum? Warum bin ich im Krankenhaus?

---

[3] **erschöpft** - exhausted

Einige Minuten vergehen und ein Mann kommt an mein Bett. Ich glaube, es ist der Arzt, aber ich sehe ihn nicht sehr gut. Das Licht ist zu hell. Alles ist verschwommen. Er sagt zu mir:

"Sie sind aufgewacht. Sie hatten Glück. Sie hatten einen Unfall. Sie müssen sich ausruhen. **Ihr Körper braucht Ruhe**[4]."

Ein Unfall? Ich verstehe das nicht... Wo? Wie? Aber ich erinnere mich an nichts. Nein, ich will mich bewegen. Ich will es verstehen.

---

[4] **Ihr Körper braucht Ruhe.** - Your body needs rest.

"Un...ffff... alll", versuche ich langsam zu sagen.

"Nicht! Versuchen Sie nicht zu sprechen. Sie müssen sich ausruhen", sagt der Arzt.

Ich sehe ihn an.

Kapitel 2

Wo ist sie?

Samstag, 13. Juni, 8:00 Uhr morgens
Marion

Heute ist Samstag. Gestern hat sie um 15 Uhr das Haus verlassen. Sie ist nicht aus dem Haus gegangen. Sie ist gelaufen. Ich verstehe nicht, warum sie aus dem Haus gelaufen ist. Aber ich glaube, es war wegen unseres Streits.

Wir streiten uns oft. Das ist normal zwischen Mutter und jugendlicher

Tochter. Sie wohnt nicht mehr bei mir zu Hause. Sie wohnt an der Universität. Aber sie **stürmt** sonst nie so **aus dem Haus**5. Wo ist sie? Ich verstehe das nicht. Warum hat sie mich noch nicht angerufen? Ich verstehe nichts an dieser Situation. Es ist seltsam. **Ich sorge mich**6. Ich sorge mich mehr als je zuvor.

Ich nehme mein Handy. Ich rufe sie an. Wieder... und wieder. Ihr Handy läutet und läutet, aber sie **hebt nicht ab**7. Ich höre ihre

---

5 **stürmt ... aus dem Haus** - storms ... out of the house
6 **Ich sorge mich** - I am worried
7 **hebt nicht ab** - does not answer the phone

Stimme. Aber das ist nicht sie, es ist nur ihre **Mobilbox**.[8]

Ich lege mein Handy auf den Tisch. Ich weiß nicht, was ich tun soll. Soll ich sie suchen gehen? Aber wo suche ich sie? Soll ich die Polizei kontaktieren? Aber was werde ich der Polizei sagen? Ja, wir haben uns gestritten und dann ist sie aus dem Haus gestürmt. Ich weiß nicht, wo ich anfangen soll. Ich verstehe nichts.

Alle möglichen Gedanken gehen mir durch den Kopf. Ich fange an, **in Panik zu geraten**[9]. Plötzlich

---

[8] **Mobilbox** - voicemail

[9] **in Panik zu geraten** - to start panicking

läutet mein Handy und unterbricht meine Gedanken. Ich hebe sofort ab.

"Hallo? Emma? Bist du es? Oh... Hallo... Julian. Nein. Sie ist nicht hier. Sie hat gestern das Haus verlassen."

Ich erzähle meinem Freund Julian die ganze Geschichte. Ich erzähle ihm, dass Emma aus dem Haus gestürmt ist. Er hört mir zu. Ich erzähle ihm, dass Emma noch nicht angerufen hat. Er hört mir aufmerksam zu. Schließlich sagt er:

"Marion, es tut mir so leid. Das ist eine schwierige Situation für dich. Ich bin mir sicher, dass du dich sorgst, aber es ist wichtig, dass du ruhig bleibst."

Ich weiß, dass er Recht hat. Ich weiß es. Aber das ändert nichts. Ich mache mir Sorgen. Julian sagt weiter:

"Marion, falls ich etwas für dich tun kann, ruf mich an. Ich komme morgen nach der Arbeit sofort zu dir. Ich liebe dich."

Nach unserem Gespräch rufe ich einige Freunde von Emma an. Ich verbringe viel Zeit am Handy. Ich spreche mit drei guten Freundinnen von Emma, aber ich habe kein Glück. Ihre Freundinnen haben nicht mit ihr gesprochen.

Kapitel 3

Besuch einer Polizistin

Samstag, 13. Juni, 10:00 Uhr
vormittags
Emma

Eine Stimme fragt:

"Hören Sie mich?"

Ich öffne meine Augen. Ich sehe eine Frau vor mir. Sie trägt eine Uniform. Es ist eine Polizistin. Ich versuche zu sprechen, aber **ich schaffe es**[10] nicht gut.

"Un - fall... Un - fall...", flüstere ich.

Ich fange an zu weinen. Ich weiß nicht warum. Ist es, weil ich mich an nichts erinnern kann? Ist es, weil ich nicht verstehe, warum ich im Krankenhaus bin oder weil ich nicht gut sprechen kann. Ich weiß nicht warum. Gerade ist alles zu schwierig für mich.

"Was ist mit ihr? Kann sie nicht gut sprechen?", fragt die Polizistin den Arzt.

---

[10] **ich schaffe es** - I manage

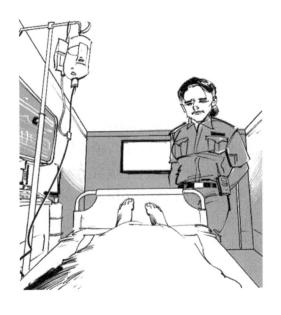

Der Arzt sieht mich einen Moment
an, aber er sagt nichts. Dann sagt er
sanft[11] zur Polizistin:

---

[11] **sanft** - softly

"Können wir im Flur sprechen?"

Der Arzt verlässt das Zimmer mit der Polizistin. Ich weiß nicht, worüber sie sprechen. Ich bin mir sicher, dass sie über mich sprechen.

Etwas später kommt die Krankenschwester ins Zimmer. Sie kommt an mein Bett und sagt:

"Es ist Zeit, Ihre Medikamente zu nehmen."
Ich nehme ihre Hand. Ich sehe sie an und sie sieht mich an. **Ich**

spüre wie eine Träne meine Wange hinunterläuft.[12]

Ich sehe, dass die Krankenschwester einen kurzen Moment zögert, aber dann lächelt sie. Sie sagt:

"Alles wird gut. Wir werden Ihre Familie finden. Aber jetzt müssen sie sich ausruhen."

Ich schließe meine Augen.

---

[12] Ich spüre wie eine Träne meine Wange hinunterläuft - I feel a tear rolling down my cheek

Kapitel 4

Eine Überraschung im Fernsehen

Samstag, 13. Juni, 11:00 Uhr vormittags
Marion

Heute vergeht die Zeit zu Hause sehr langsam. Ich habe keinen Hunger. Ich will nichts machen. Alles, was ich machen kann, ist an Emma zu denken. Ich denke an die letzten Ereignisse. Ich werde noch heute zur Polizei gehen, wenn sie mich nicht anruft.

In diesem Moment klopft es an die Tür. Ich gehe zur Tür und öffne sie schnell. Ich hoffe, dass es Emma ist.

"Hallo Marion. Wie geht es dir?"

Es ist Julian. Ich umarme ihn sofort. Dann gehen wir in die Küche.

"Hast du mit Emma gesprochen?", fragt Julian.

"Nein…"

"Schalte den Fernseher ein! Es gibt ein großes Problem auf den Straßen. Gerade findet eine große

Demonstration gegen die **Ungerechtigkeit**[13] in der Stadt statt. Die **Demonstranten**[14] sind überall", erklärt Julian.

---

[13] **Ungerechtigkeit** - injustice
[14] **Demonstranten** - protesters

Ich antworte nicht. Ich sehe weiter fern, verwirrt, und antworte:

"Diese Demonstrationen sind lächerlich. **Es ist Zeitverschwendung**[15] so mit **Schildern**[16] durch die Straßen zu gehen. Das ändert nichts."

"Ich weiß nicht. Ich glaube, es ist wichtig, nicht zu schweigen. Es ist wichtig, eine Meinung zu haben", antwortet Julian.

Ich will nicht über diese Demonstrationen sprechen. Das ist

---

[15] **Es ist Zeitverschwendung** - It's a waste of time
[16] **Schildern** - signs

eine Diskussion, die ich immer mit Emma habe. Eine Diskussion, die immer **zum Streit führt**[17], weil wir nicht einer Meinung sind.

"Julian, falls ich Emma heute nicht finde, werde ich zur Polizei gehen."

Er sieht mich an.

"Ja, ich glaube, dass ich das Gleiche machen würde."

Julian sieht mich aufmerksam an. Er nimmt meine Hand und sagt:

"Was kann ich tun, um dir zu helfen?"

---

[17] **zum Streit führt** - leads to an argument

"Ich weiß es nicht. Ich will nur meine Emma wiederfinden", erkläre ich.

"Ja, ich weiß. Ich auch. Wo können wir anfangen, sie zu suchen?"

"Ich weiß es nicht."

"Wie meinst du, du weißt es nicht?" "Ich weiß nicht, wo ich anfangen soll, sie zu suchen. Emma erzählt mir nicht viel von ihrem Leben in der letzten Zeit. Wir streiten uns oft. Seit sie studiert, sind wir oft unterschiedlicher Meinung."

Ich fange an zu weinen. Das ist das erste Mal, dass ich seit Emmas

Verschwinden weine. Julian nimmt mich in den Arm und ich weine weiter.

Kapitel 5

Ich erinnere mich

Samstag, 13. Juni, nachmittags
Emma

Ich höre ein Geräusch. Ich öffne meine Augen. Ich sehe niemanden. Ich sehe überall hin, aber niemand ist da.

Ich sehe den Fernseher. Ich sehe etwas fern. Im Fernsehen sehe ich eine junge Frau, die spricht. Ich höre zu. Ich konzentriere mich. Die junge Frau sagt:

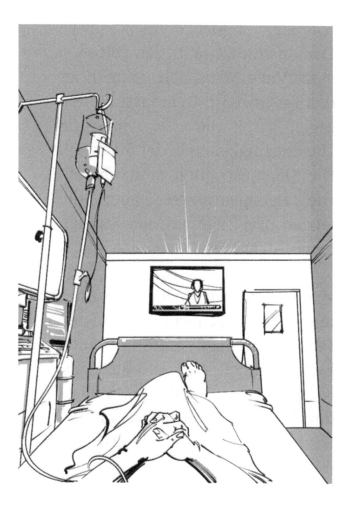

"Gerade findet eine große Demonstration auf den Straßen statt. Viele Menschen nehmen an den riesigen Demonstrationen gegen die jüngsten Ungerechtigkeiten in der Stadt teil. Die Demonstranten sind überall. Die Demonstranten haben die letzten drei Tage auf den Straßen demonstriert.

Wir suchen auch die Identität einer jungen Frau, die nicht weit von den Demonstrationen entfernt, einen Unfall hatte. Sie ist jetzt im Krankenhaus. Sobald die Polizei ihre Identität herausgefunden hat, wird ihre Familie kontaktiert werden."

Ich mache meine Augen weit auf. Das bin ja ich! Das bin ich im Fernsehen! Ich bin mit dem Auto gefahren!

In diesem Moment erinnere ich mich. Ich erinnere mich an alles. Ich bin aus meinem Haus gestürmt. Ich bin auf die riesige Demonstration in der Stadt gegangen. Ich habe demonstriert. Ich habe gegen all diese Ungerechtigkeiten in der Stadt demonstriert. Überall waren Demonstranten. Es war so laut. Ich hatte Kopfschmerzen und wollte weg.

Ich bin zu meinem Auto zurückgekehrt. Während ich gefahren bin, habe ich an meine Mutter gedacht. Ich habe an unseren Streit gedacht, als mir ein anderes Auto **den Weg abgeschnitten hat**[18]. Ich hatte nicht mehr rechtzeitig **bremsen**[19] können.

Ich denke an meine Mutter. Ich sehe weiter fern. Ich denke an den anderen Tag, als wir uns auch wieder gestritten haben.

---

[18] **den Weg abgeschnitten hat** - cut in front of me
[19] **bremsen** - brake

"Emma, ich verstehe nicht, warum du demonstrieren willst. Ja, diese Ungerechtigkeiten sind ein unglaubliches Problem, aber zu demonstrieren ändert nichts. Es ändert auch nicht die Meinung der anderen."

"Es ist unglaublich, dass du so denkst. Ungerechtigkeit ist keine Meinung, es ist ein Verbrechen. Wir müssen uns verstehen und uns respektieren", sage ich.

"Emma, es ist zu gefährlich für dich, auf den Straßen zu demonstrieren. Das ist keine gute Idee. Es ist sehr gefährlich... und manchmal sehr gewalttätig."

"Ungerechtigkeit   verursacht Gewalt! Die Demonstranten wollen Ungerechtigkeit   UND   Gewalt verhindern!"

In diesem Moment, sehe ich die Krankenschwester in das Zimmer kommen. Ich sehe sie an und denke:

"Meine Mutter weiß nicht, dass ich im Krankenhaus bin. Sie weiß nicht, dass ich einen Unfall hatte. Ich muss mit ihr sprechen. Ich muss sie sehen. Ich muss mich bei ihr entschuldigen."

Mir lässt unsere letzte Unterhaltung keine Ruhe[20].
Das war keine Unterhaltung. Das war ein Streit.

Voller Emotionen und Reue fange ich an, zu weinen.

---

[20] **Mir lässt unsere letzte Unterhaltung keine Ruhe.** - Our last conversation is still bothering me.

Kapitel 6

Das ist nicht möglich!

Samstag, 13. Juni, 1:00 Uhr nachmittags
Marion

Ich weine noch immer. Plötzlich ruft Julian:

"Das ist seltsam! Ist das Emma?" Julian steht schnell auf. Er geht zum Fernseher und sagt: "Marion! Ist das EMMA?"

Ich sehe auf den Fernseher. Ich betrachte den Umriss, den mir

Julian im Fernseher zeigt. Ich sehe
eine Person auf der Straße mit den
Demonstranten.

"Marion, ist das Emma?", fragt Julian noch einmal.

Ich sehe weiter in den Fernseher ohne Julian zuzuhören. Ich denke an den Tag, an dem ich mich mit Emma gestritten habe.

"Emma, ich verstehe nicht, warum du demonstrieren willst. Ja, diese Ungerechtigkeiten sind ein unglaubliches Problem, aber zu demonstrieren ändert nichts. Es ändert auch nicht die Meinung der anderen."
"Es ist unglaublich, dass du so denkst. Ungerechtigkeit ist keine Meinung, es ist ein VERBRECHEN. Wir müssen uns

verstehen und uns respektieren",
sagt Emma.

"Emma, es ist zu gefährlich für
dich, auf den Straßen zu
demonstrieren. Das ist keine gute
Idee. Es ist sehr gefährlich... und
manchmal sehr gewalttätig."

"Ungerechtigkeit verursacht
Gewalt! Die Demonstranten wollen
Ungerechtigkeit UND Gewalt
verhindern!"

Plötzlich höre ich eine Stimme. Sie
sagt:

"Marion, hörst du mich? Das Mädchen im Fernsehen sieht aus wie Emma, oder?"

Ich sehe **fassungslos**[21] auf den Fernseher. Das ist nicht möglich.

"Ja, das ist Emma. Ich bin sicher, dass sie das ist!", sagt Marion.

Ich betrachte Julian schweigend. Plötzlich höre ich ein Geräusch. Es ist mein Handy.

---

[21] **fassungslos** - shocked

Kapitel 7

Das bin ich!

Samstag, 13. Juni, 18:00 Uhr
Emma

"Weine nicht!", sagt die Krankenschwester, die an meiner Seite steht.

Ich möchte weinen, aber ich kann nicht. Ich beruhige mich und flüstere **mit aller Kraft**[22]:

---

[22] **mit aller Kraft** - with all my strength

"Das war ich, der Fernseher... im Fernseher... Emma... Emma Thomas. Das war ich."

Jetzt sieht auch die Krankenschwester auf den Fernseher. Sie betrachtet mich weiter und ich spüre, dass ich weinen werde. Sie nimmt meine Hand und sagt:

"Emma Thomas."

Ich sehe sie an. Ich will meinen Namen laut rufen, aber ich kann nicht: Ich bin zu erschöpft.

Einige Minuten später kommt ein Mann zu mir und fragt mich:

"Sind Sie Emma? Emma Thomas?"

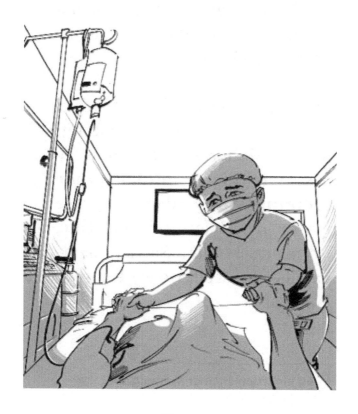

Ich antworte nicht. Ich habe keine Kraft. Aber ich bewege meinen Kopf, um ihn verstehen zu lassen. Der Mann nimmt meinen Arm und versichert mir, dass er meine Familie finden wird.

Ich antworte nicht, aber ich lächle. Ich weiß, dass ich mich oft mit meiner Mutter streite. Ich weiß, dass **wir nicht immer einer Meinung sind**[23]. Aber die einzige Person, die ich jetzt sehen möchte, ist meine Mutter. Sie ist meine Familie. Sie ist alles, das ich auf der Welt habe.

---

[23] **wir nicht immer einer Meinung sind** - we don't always agree

Kapitel 8

Ein Telefonanruf

Samstag, 13. Juni, 21:15 Uhr
Marion

Ich nehme mein Handy. Ich hebe ab:

"Hallo. Ja, ich bin Frau Thomas. Ja. Ein Unfall? Wo? Sie ist im Krankenhaus? Oh, mein Gott! Ja, ich komme! Ich komme sofort!"

Ich betrachte Julian. Er sieht, dass ich Angst habe. Er nimmt seine Schlüssel und wir laufen zum Auto.

Im Auto sprechen wir nicht. Ich mache mir Sorgen. Ich weiß nicht, **was mich erwartet**[24]. Ich bin froh, dass Julian nicht spricht. Ich will gerade nicht sprechen. Ich betrachte mein Handy und sehe ein Foto von Emma. Das beruhigt mich ein wenig. In diesem Augenblick nehme ich mir vor, mich nie wieder mit Emma über unsere unterschiedlichen Meinungen zu streiten. Wir sind unterschiedlich, ja, aber sie ist meine Tochter. Sie ist ein Teil von mir, aber sie ist auch eine **eigenständige**[25] Person, die ihre eigene Meinung hat.

---

[24] **was mich erwartet** - what to expect
[25] **eigenständige** - independent

Ich betrachte Julian. Er nimmt meine Hand und sagt:

"Emma wird froh sein, dich zu sehen."

"Ja, vielleicht. Ich will meine Tochter nicht verlieren. Ich will mich nicht mehr mit ihr streiten. Vielleicht ist es besser, wenn ich schweige, wenn ich nichts sage."

"Nein, es ist nicht besser, wenn du schweigst. Du musst mit ihr sprechen. Schweigen ist gefährlich. Schweigen trennt Menschen. Du musst mit Emma sprechen. Du musst ihr aber auch zuhören. Du musst auch versuchen, sie zu verstehen."

Ich antworte nicht. Ich weiß, dass er Recht hat.

Kapitel 9

Ein wichtiger Augenblick

Samstag, 13. Juni, 22:00 Uhr
Marion

Wir kommen um 22 Uhr im Krankenhaus an. Es ist dunkel und überall auf der Straße sind viele Menschen wegen der Demonstrationen. Ich habe ein wenig Angst und ich mache mir Sorgen. Wir betreten das Krankenhaus und ich sehe eine Frau hinter dem Schreibtisch an der Rezeption. Ich erkläre ihr, dass ich Emma Thomas sehen möchte. Sie lächelt.

"Emma ist im Zimmer 221."

Wir **erreichen**[26] das Zimmer 221. Ich betrete es langsam und sehe Emma.

Ich fühle mich traurig. Ich gehe zu ihrem Bett. Ich betrachte sie und sie betrachtet mich mit einem traurigen Gesicht. Emma flüstert "Mama". Wir fangen beide zu weinen an.

Ich nehme ihre Hand und sage sanft:

---

[26] **erreichen** - arrive

"Emma! Du lebst! Ich hatte so Angst! Es tut mir so leid, so leid!"

Wir weinen und weinen, Hand in Hand. Ich bin froh, dass Emma nicht spricht. Ich will gerade nicht sprechen. Ich sehe ihr in die Augen. Das beruhigt mich. Ich berühre ihre **Stirn**[27] und Emma lächelt.

"Mach dir keine Sorgen, Emma! Der Arzt sagt, dass es dir bald besser gehen wird. Alles wird gut." Emma betrachtet mich und ich denke an unsere Streite. Ich habe ihr noch nie wirklich zugehört. Ich verstehe jetzt. Ich fange an zu sprechen:

---

[27] **Stirn** - forehead

"Emma, ich werde in Zukunft viel geduldiger sein."

In diesem Augenblick kommt Julian ins Zimmer und sagt:

"Sieh im Fernsehen!"

Ich sehe auf den Fernseher. Ich sehe Emma auf der Straße mit anderen Demonstranten. Sie wirkt so selbstbewusst. Sie hat ein Schild in der Hand, darauf steht:

Es ist nicht die Entfernung, die Menschen trennt, sondern das Schweigen.

Ich betrachte Emma. Ich bewundere sie sehr. Ich bin stolz auf sie. Plötzlich geht es mir besser. Ich fühle mich optimistisch und ich hoffe, dass wir eine **engere Beziehung**[28] haben werden als je zuvor. Emma ist die wichtigste Person in meinem Leben.

---

[28] **engere Beziehung** - closer relationship

Epilog

Zwei Monate später
Emma

Nach meinem Unfall hatten meine Mutter und ich eine engere Beziehung als je zuvor. Wir streiten uns nicht mehr. Ich fühle mich besser und ich bin stärker.

Ich verstehe jetzt, dass meine Mutter und ich nicht immer einer Meinung sein werden. Ich verstehe jetzt, dass es normal ist, wenn man unterschiedlicher Meinung ist. Aber mehr als zuvor verstehe ich auch, dass meine Meinung wichtig ist. Wenn ich meine Meinung gegen Ungerechtigkeiten ausdrücken möchte, dann mache ich das. Ich werde es auch weiterhin machen. Es gibt nichts Gefährlicheres als zu schweigen.

Glossar

A

ausschalten -
to turn off
aber - but
alles -
everything
als - as
am - on
an - on; at
andere(n)(s) -
other(s)
ändert - (s/he;
it) changes
anfangen - to
start

**(hat)
angerufen -**
has called
(die) Angst -
fear
anruft - (s/he;
it) calls
antworte - (I)
answer
antwortet -
(s/he; it)
answers
(die) Arbeit -
work
(der) Arm -
arm
(der) Arzt -
doctor

(die)Ärzte/Ärztinnen - doctors

auch - as well; too

auf - on

(sind) aufgewacht - (you, sgl) have woken up

aufmerksam - attentively

(die) Augen - eyes

(der) Augenblick - moment

aus - out

ausdrücken - to express

ausruhen - to rest

(das) Auto - car

ß

bald - soon

bei - at

beide - both

beruhige (mich) - (I) calm down

(das) beruhigt (mich) - (that) calms (me) down

berühre - (I) touch

besser - better

(der) Besuch - visit

betrachte - (I) look at

betrachtet - (s/he; it) looks at

betrete - (I) enter

betreten - (we) enter

(das) Bett - bed

bewege - (I) move

bewegen - to move

bewundere - (I) admire

(die) Beziehung - relationship

bin - (I) am

bist - (you, sgl) are

bleibst - (you, sgl) stay

braucht - (s/he; it) needs

D

da - here

dann - then

darauf - on it

das - the

dass - that

dem - to the

(die) **Demonstranten -** protesters

(die) **Demonstration(en) -** protest(s)

demonstrieren - to protest

demonstriert - (s/he; it) protests

den - the

denke - (I) think

denken - to think

denkst - (you, sgl) think
der - the
dich - you (sgl)
die - the
diese - these
diesem(r) - this
dir - to you
(die) Diskussion - discussion
drei - three
du - you (sgl)
dunkel - dark
durch - through

E

eigene - own
eigenständige - independent

ein(e)(em)(en)(er) - a, an; one
einige - some
(noch) einmal - once again
einzige - only
(die) Emotion - emotion
(die) Entfernung - distance
(sich) entschuldigen - to apologize
er - he
(die) Ereignisse - events
erinnere (mich) - (I) remember
(sich) erinnern - to remember
erkläre - (I) explain

erklärt - (s/he; it) explains
erste - first
erwartet - (s/he; it) expects
erzähle - (I) tell
erzählt - (s/he; it) tells
es - it
etwas - something

F

fange (an) - (I) start
fangen (an) - (we; they) start
falls - if
(die) Familie - family
fassungslos - shocked

(der) Fernseher - TV
finde - (I) find
finden - (we) find
findet (statt) - (s/he; it) takes place
(der) Flur - corridor
flüstere - (I) whisper
flüstert - (s/he; it) whispers
(das) Foto - picture
(die) Fragen - questions
fragt - (s/he; it) asks
(die) Frau - woman
(der) Freitag - Friday

(der) Freund - friend
(die) Freunde - friends
(die) **Freundinnen -** (female) friends
froh - happy
fühle - (I) feel
für - for

G

ganze - whole
(habe) gedacht (an) - have thought of
(die) Gedanken - thoughts
geduldiger - more patient
(bin) gefahren - (I) have driven

gefährlich - dangerous
(nichts) Gefährlicheres - (nothing) more dangerous
(bin/ist) gegangen - (I; s/he; it) have/has gone
gegen - against
gehe - (I) go
gehen - (we; they; to) go
geht - (s/he; it) goes
(bin/ist) gelaufen - (I; s/he; it) have/has run
gerade - just now; at the moment

(das) Geräusch - noise
(die) Geschichte - story
(das) Gesicht - face
(hast/haben) gesprochen - (you, sgl; we) have spoken
(das) Gespräch - conversation
gestern - yesterday
(habe/haben) (mich/uns) gestritten - (I; we) have argued
(die) Gewalt - violence

gewalttätig - violent
(es) gibt - there is; there are
glaube - (I) think
(das) Gleiche - same
(das) Glück - luck
(Oh mein) Gott - (Oh my) god
große(s) - big; large
gut(e)(en) - good

#

habe - (I) have
haben - (we; they; to) have

hallo - hello

(die) Hand - hand

(das) Handy - cellphone

hast - (you, sgl) have

hat - (s/he; it) has

hatte - (I; s/he; it) had

hatten - (they) had

(das) Haus - house

(zu) Hause - at home

hebe (ab) - (I) answer (the phone)

hebt (ab) - (s/he; it) answers (the phone)

helfen - to help

hell(es) - bright (hat)

herausgefunden - (s/he; it) has found out

heute - today

hier - here

(sehe) hin - (I) look

hinter - behind

hoffe - (I) hope

höre - (I) hear

hören - (they) hear

hörst - (you, sgl) hear

hört - (s/he; it) hears

(der) Hunger - hunger

I

ich - I
(die) Idee - idea
(die) Identität - identity
ihm/ihn - him
Ihnen - you, sgl (polite form)
ihr(e)(m) - her
im (in dem) - in the
immer - always
in - in; inside
ins (in das) - in(to) the
ist - (s/he; it) is

J

ja - yes
jetzt - now

jugendlicher - teenager
junge(n) - young
jüngsten - most recent
(der) Juni - June

K

kann - (I; s/he; it) can
(das) Kapitel - chapter
kein(e)(en) - no
(es) klopft - somebody's knocking
komme - (I) come
kommen - (we; to) come

kommt - (s/he; it) comes
können - (we; to) can
kontaktieren - to contact
(wird) **kontaktiert** - (will be) contacted
konzentriere - (I) concentrate
(der) Kopf - head
(die) Kopfschmerzen - headache
(der) Körper - body
(das) Krankenhaus - hospital
(die) Krankenschwester(n) - nurse(s)

(die) Küche - kitchen
kurzen - short

l

lächelt - (s/he; it) smiles
lächerlich - ridiculous
lächle - (I) smile
langsam - slow(ly)
lassen - to let
laufen - to run
laut - loud
läutet - (it) rings
(das) Leben - life
lebst - (you, sgl) live
lege - (I) put

(es tut mir) leid - (I am) sorry

letzte(n) - last

(das) Licht - light

liebe - (I) love

M

Mach (dirkeine Sorgen)! - Don't worry!

mache - (I) make; do

mache (mir Sorgen) - (I) worry

machen - to make; do

(das) Mädchen - girl

(das erste) Mal - (first) time

(die) Mama - mom

man - (some)one

manchmal - sometimes

(der) Mann - man

(die) Medikamente - medicine

mehr - more

(nicht) mehr - not anymore

mein(e)(em)(en) (er)(es) - mine; my

meinst - (you, sgl) mean

(die) Meinung(en) - opinion(s)
(die) Menschen - people
mich - me
(die) Minuten - minutes
mir - to me
mit - with
(die) Mobilbox - voicemail
möchte - (I) would like
möglich(en) - possible
(der) Moment - moment
(die) Monate - months
morgen - tomorrow

morgens - in the morning
müde - tired
muss - (I) must
müssen - (you, sgl; we) need to
musst - (you, sgl) must
(die) Mutter - mother

N

nach - after
nachmittags - in the afternoon
(meinen) Namen - (my) name
nehme - (I) take
nehmen - (they, to) take

nein - no
nicht - not
nichts - nothing
nie - never
niemand(en) - no one
nimmt - (s/he; it) takes
noch - still
normal - normal
nur - only

O

oder - or
öffne - (I) open
öffnen - to open
öffnet - (s/he; it) opens
oft - often
ohne - without

optimistisch - optimistic

P

(die) Panik - panic
(die) Person - person
(die) Pfleger - nurses
plötzlich - suddenly
(die) Polizei - police
(die) Polizistin - policewoman
(das) Problem - problem

R

(der) Raum - room

(hat) Recht - (is) right

rechtzeitig - on time

respektieren - to respect

(die) Reue - remorse

(die) Rezeption - reception

riesige(n) - huge

ruf! - call sb (command)

rufen - to call; cry out

rufe (an) - (I) call

ruft - (s/he; it) calls

(die) Ruhe - rest

ruhen (Sie sich) aus! - rest! (command)

ruhig - quiet; calm

S

sage - (I) say

sagen - to say

sagt - (s/he; it) says

(der) Samstag - Saturday

sanft - soft(ly)

Schalte ein! - Turn on! (command)

(das) Schild - sign

(den) Schildern - signs

schließe - (I) close

schließlich - finally

(die) Schlüssel - keys

schnell - quickly

(der) Schreibtisch - desk

schweige - (I) keep quiet

(das) Schweigen - silence

schweigen - to keep quiet

schweigend - silent

schweigst - (you, sgl) keep quiet

schwierig(e) - difficult

sehe - (I) see

sehen - to see

sehr - very

sein - to be

sein(e) - his

seit - since

(die) Seite - side

selbstbewusst - self-confident

seltsam - strange

sich - herself; himself

sicher - sure

sie - she; they

sieht - (s/he; it) sees

sind - (we; they; you, pl) are

(die) Situation - situation

so - so

sobald - as soon
sofort - immediately
soll - should
sondern - but
sonst - or ; otherwise
(die) Sorge - worry
sorgen - to worry
sorgst - (you, sgl) are worried
spreche - (I) speak
sprechen - to speak
spricht - (s/he; it) speaks
später - later
spüre - (I) feel
(die) Stadt - city

steht (auf) - (s/he; it) stands; gets up
(die) Stimme - voice
(die) Stirn - forehead
stolz - proud
(die) Straße(n) - street(s)
(der) Streit - argument
(die) Streite - arguments
streite (mich) - (I) argue
(sich) streiten - to argue
streiten (uns) - (we) argue
studiert - (s/he; it) studies

suche - (I) look for
suchen - (we; to) look for

T

(der) Tag - day
(die) Tage - days
(der) Teil - part
(nehmen) teil - take part
(der) Telefonanruf - telephone call
(der) Tisch - table
(die) Tochter - daughter
traurig(en) - sad

trennt - (s/he; it) separates
trägt - (s/he; it) wears
(die) Träne - tear
tun - do
tut leid - feel sorry
(die) Tür - door

U

über - about
überall - everywhere
(die) Überraschung - surprise
(die) Uhr - o'clock
um - at; in order to

umarme - (I) hug

(der) Umriss - silhouette

und - and

(der) Unfall - accident

(die) Ungerechtigkeit(en) - injustice

unglaublich(es) - unbelievable

(die) Uniform - uniform

(die) Universität - university

uns - us

unsere(m)(n) - our

unterbricht - (s/he; it) interrupts

(die) Unterhaltung - conversation

unterschiedlich(en)(er) - different

V

(das) Verbrechen - crime

verbringe - (I) spend

vergehen - (they) pass

vergeht - (s/he; it) passes

verhindern - to prevent

(hat) verlassen - has left

verlässt - (s/he; it) leaves
verlieren - to lose
(das) Verschwinden - disappearance
versichert - (s/he; it) assures
verstehe - (I) understand
verstehen - to understand
versuche - (I) try
versuchen - to try
verursacht - (s/he; it) causes
verwirrt - confused
viel(e) - lots

vielleicht - perhaps
voller - full of
von - of
vor - in front of
vormittags - in the morning

W

(die) Wange - cheek
war - (I; s/he; it) was
waren - (we; they) were
warum - why
was - what
weg - away
wegen - because of
weil - because
weine - (I) cry

weinen - (we; to) cry
weiß - (I) know
weißt - (you, sgl; s/he; it) know(s)
(nicht) weit - not far away
weiter - continue to
weiterhin - still
(die) Welt - world
wenig - a little
wenn - when; if
werde - (I) will
werden - (we) will
wichtig(er) - important
wichtigste - most important

wie - how
wieder - again
wiederfinden - to find again
will - (I; s/he; it) want(s)
willst - (you, sgl) want
wir - we
wird - (s/he; it) will
wirklich - really
wirkt - (s/he; it) seems
wo - where
wohnt - (s/he; it) lives
wollen - (they) want
worüber - about
während - during

würde - (I)
would

Z

zeigt - (s/he; it)
shows
(die) Zeit -
time
**(die)
Zeitverschwe
ndung -** waste
of time
(das) Zimmer
- room
zögert - (s/he;
it) hesitates

zu - to; too
**(habe)
zugehört -** (I)
have listened
zuhören - to
listen
(die) Zukunft -
future
zum (zu dem) - to
zur (zu der) - to
**(bin)
zurückgekehrt -**
(I) have returned
zuvor - before
zwei - two
zwischen -
between

ABOUT THE AUTHOR

Theresa Marrama is a French teacher in Northern New York. She has been teaching French to middle and high school students since 2007. She is the author of many language learner novels and has also translated a variety of Spanish comprehensible readers into French. She enjoys teaching with Comprehensible Input and writing comprehensible stories for language learners.

Theresa Marrama's books include:

Une Obsession dangereuse, which can be purchased at www.fluencymatters.com

Her French books on Amazon include:

Une disparition mystérieuse
L'île au trésor:
Première partie: La malédiction de l'île Oak
L'île au trésor:
Deuxième partie: La découverte d'un secret
La lettre
Léo et Anton
La maison du 13 rue Verdon
Mystère au Louvre
Perdue dans les catacombes
Les chaussettes de Tito
L'accident
Kobe – Naissance d'une légende (au présent)
Kobe – Naissance d'une légende (au passé)

Her Spanish books on Amazon include:

La ofrenda de Sofía
Una desaparición misteriosa
Luis y Antonio
La carta
La casa en la calle Verdón
La isla del tesoro: Primera parte: La maldición
de la isla Oak